To Aiden
Thanks for being
my buddy. Enjoy Sl.
From JACOB

Pour Elizabeth,
Daniel et Sophie

Texte original : Martin Handford
Adaptation française : Lionel Monéger
Secrétariat d'édition :
Justine de Lagausie
© 1987 – 2017 Éditions Gründ,
un département d'Édi8,
pour l'édition française
© 1987 – 2017 Martin Handford
pour le texte et les illustrations
Première édition originale 1997 par
Walker Books Limited sous le titre
*Where's Wally? The Wonder Book*

ISBN : 978-2-7000-4117-0
Dépôt légal : janvier 2016
Imprimé en Chine
Loi n° 49-956 du 16 juillet 1949
sur les publications destinées
à la jeunesse, modifiée par la loi
n° 2011-525 du 17 mai 2011.

Éditions Gründ,
un département d'Édi8,
12 avenue d'Italie, 75013 Paris
www.grund.fr

GARANTIE DE L'ÉDITEUR

Malgré tous les soins apportés à la fabrication, il est malheureusement possible que cet ouvrage comporte
un défaut d'impression ou de façonnage. Dans ce cas, il vous sera échangé sans frais. Veuillez à cet effet le rapporter
au libraire qui vous l'a vendu ou nous écrire à l'adresse ci-dessus en nous précisant la nature du défaut constaté.
Dans l'un ou l'autre cas, il sera fait immédiatement droit à votre réclamation.

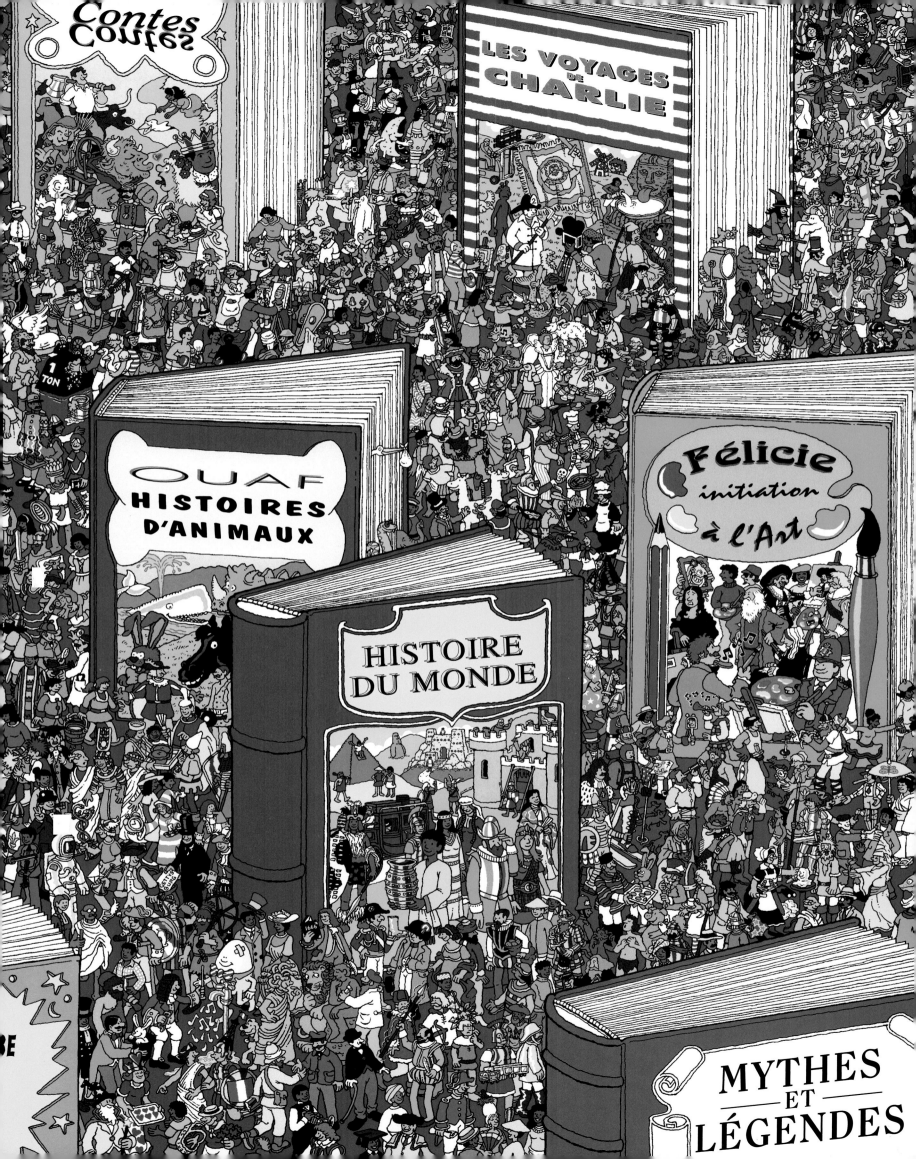

# ÉCHEC ET MATHS

PEINE DE COMMENCER! SAUREZ-VOUS REPÉRER LE SEUL JOUEUR ORANGE QUI A TERMINÉ LE PARCOURS? ET LE SEUL JOUEUR VERT QUI N'A PAS COMMENCÉ?

QUATRE GRANDES ÉQUIPES PARTICIPENT À CET ÉTONNANT JEU DES NOMBRES. LES ARBITRES ONT BIEN DU MAL À VÉRIFIER QUE PERSONNE NE TRICHE. ENTRE LA LIGNE DE DÉPART, EN HAUT, ET LA LIGNE D'ARRIVÉE, EN BAS, IL FAUT RÉSOUDRE DES TAS DE PROBLÈMES. L'ÉQUIPE VERTE A PRESQUE GAGNÉ, ALORS QUE L'ÉQUIPE ORANGE VIENT À

# PEUR SOUS LES PROJECTEURS

ATTENTION LES YEUX! ICI, LES PHARES VOUS EN METTENT PLEIN LA VUE. FLASHS, ÉCLAIRS, JETS DE LUMIÈRE... LA NUIT S'ILLUMINE DE MILLE FEUX. QUEL SPECTACLE ÉBLOUISSANT! MAIS... OH NON! DES MONSTRES ESSAIENT D'ÉTEINDRE LES LUMIÈRES EN CRACHANT DE LA GLU VERTE. ILS ATTAQUENT DE TOUS CÔTÉS. AFFOLÉS, LES PAUVRES MARINS RIPOSTENT AVEC DE LA GLU ROSE. SPLITCH! SPLOUTCH! QUEL CAUCHEMAR! TROIS MONSTRES ATTAQUENT EN PROJETANT UNE GLU QUI N'EST PAS VERTE, LES AVEZ-VOUS REPÉRÉS?

# EN AVANT LA MUSIQUE

BOUM! BOUM! BADABOUM! ÉCOUTEZ LES TAMBOURS! UNE ÉTRANGE ARMÉE DE MUSICIENS S'AVANCE VERS LE CHÂTEAU DES FANFARES. POURQUOI DIABLE SONT-ILS DÉGUISÉS EN ANIMAUX? VOYEZ-VOUS LE RÉGIMENT DES CANARDS, CELUI DES ÉLÉPHANTS ET CELUI DES OURS? LES MUSI-CIENS TRANSPORTÉS DANS DES KIOSQUES À MUSIQUE? ET

CEUX QUI GRIMPENT SUR DES ÉCHELLES DE NOTES? HA! HA! QUELLE BATAILLE EXTRAOR-DINAIRE! HOU! HOU! QUELLE TERRIBLE CACOPHONIE!

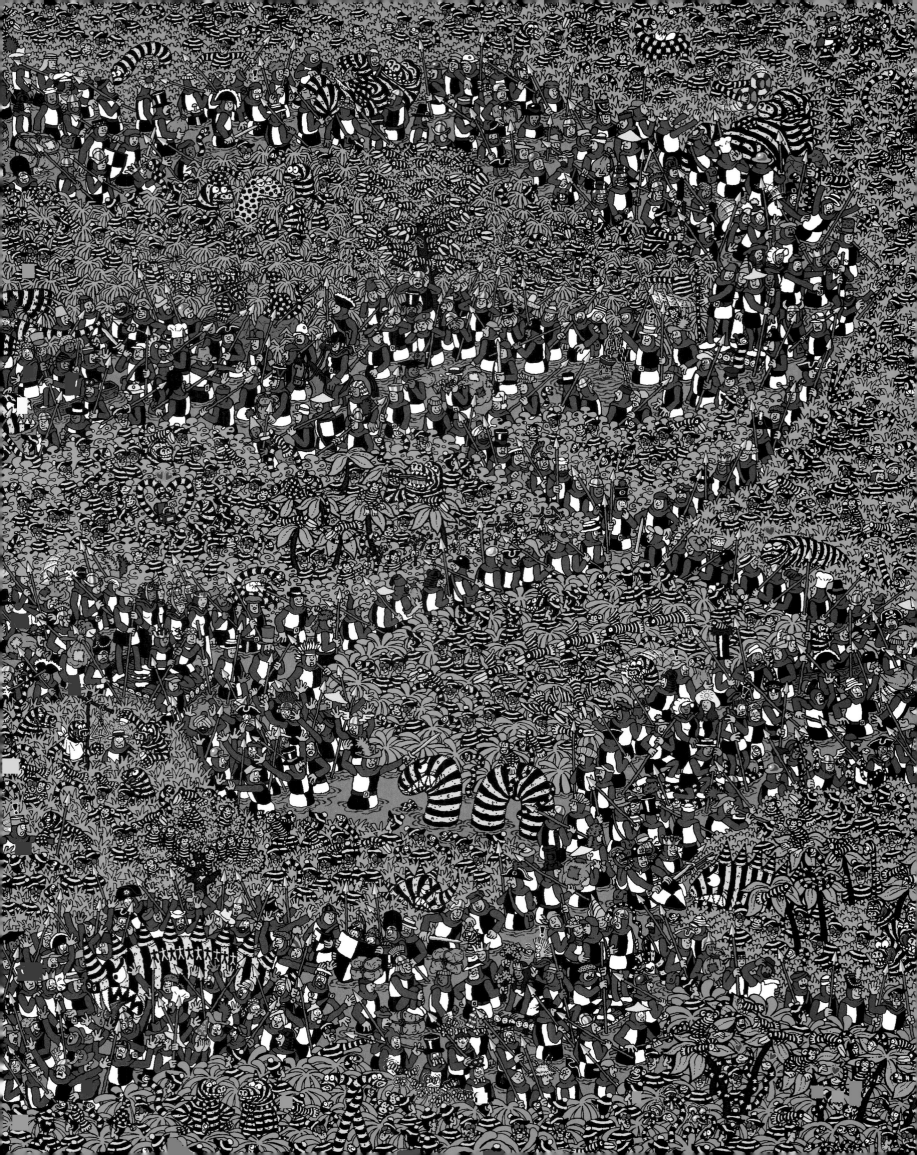

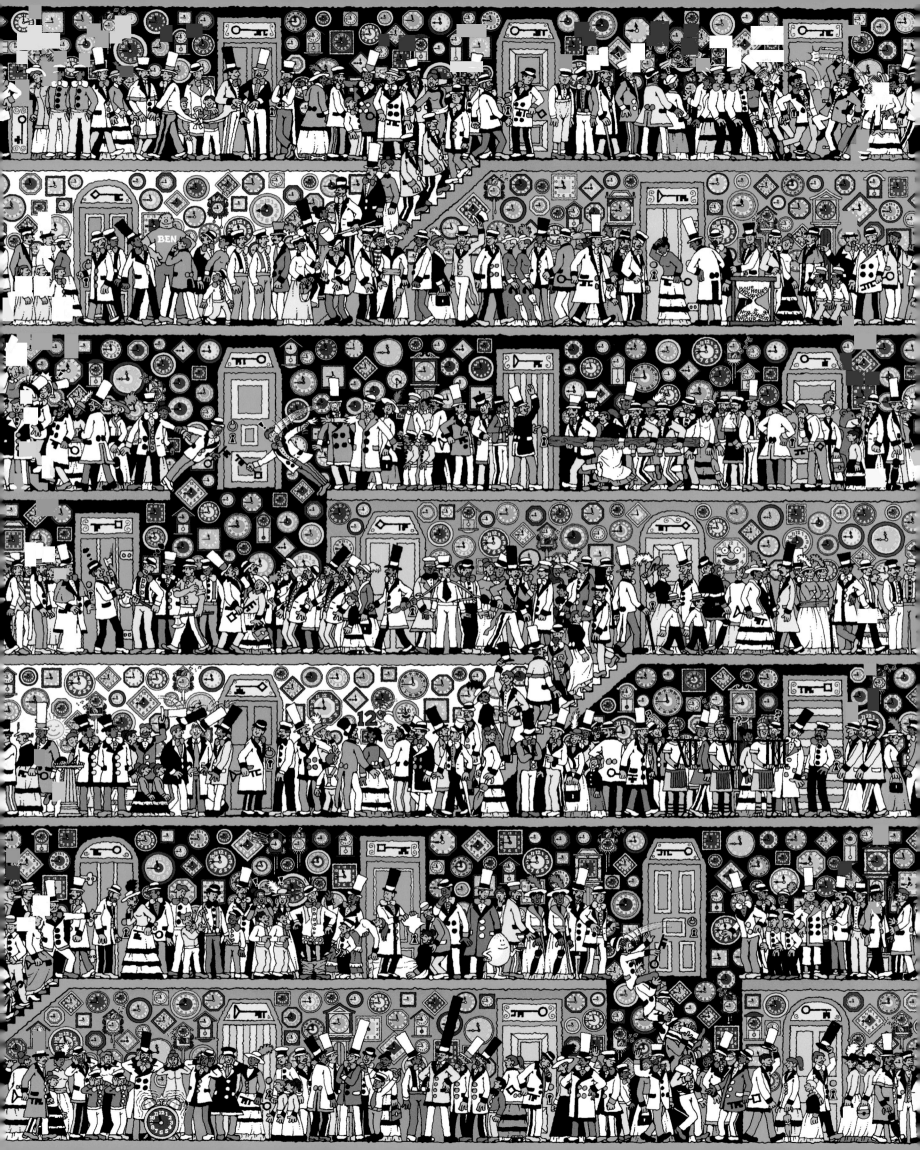

# AU PAYS DE OUAF

OUAF! OUAF! REGARDEZ TOUS CES SOSIES DE OUAF! ICI, LES CHIENS ONT LA VIE BELLE. DANS LEUR HÔTEL CINQ ÉTOILES, IL Y A UNE PISCINE EN FORME D'OS ET UN STADE OÙ UNE FOULE DE OUAF POURCHASSE UNE PARTIE DU PERSONNEL HABILLÉ EN FACTEURS, EN SAUCISSES OU EN CHATS. C'EST ICI QUE SE TROUVE LE MARQUE-PAGE. VOUS SAVEZ DONC, À PRÉSENT, QUELLE EST MA PAGE PRÉFÉRÉE. PARMI CES CENTAINES DE CHIENS, TROUVEREZ-VOUS LE VÉRITABLE OUAF? LUI SEUL A CINQ RAYURES ROUGES SUR LA QUEUE. MAIS IL Y A UN AUTRE DÉFI À RELEVER: ONZE VOYAGEURS M'ONT SUIVI

JUSQU'ICI, VENANT TOUS D'UNE SCÈNE DIFFÉRENTE. LES VOYEZ-VOUS? TROUVEZ LA PAGE OÙ CHACUN D'EUX M'A REJOINT, PUIS L'ENDROIT OÙ ILS SE CACHENT DANS LES SCÈNES SUIVANTES. CHERCHEZ, CHERCHEZ, FANS DE CHARLIE, ET AMUSEZ-VOUS BIEN!

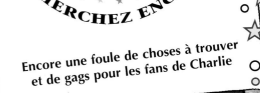

# OÙ EST CHARLIE ?
## LE LIVRE MAGIQUE
### CHERCHEZ ENCORE

Encore une foule de choses à trouver
et de gags pour les fans de Charlie

## IL ÉTAIT UNE FOIS...

Pâris et la belle Hélène
Rudyard Kipling et le livre de la jungle
Un explorateur cancanant
Un cow-boy qui a le hoquet
Un centaure faisant ses courses
La célèbre Water Music de Haendel
Un gentilhomme passionné par l'année 1666
Le Roi-Soleil
Un bon coup de fourchette
Tchaïkovski et son casse-noisette
Boucle d'or et les trois ours
Pythagore et le carré de l'hippopotame
Jack et le haricot magique
Cyrano de Bergerac
Blanche-Neige et les sept nains
Arlequin
Le Chat botté
Charlot
Hamlet faisant une omelette
Jason et les camionautes
Guillaume Tell
La Reine des cœurs
Les trois petits cochons
Billy the Kid dans son landau
Pinocchio
Robin des bois

## LA BATAILLE DE FRUITS

Une boîte de dates
Deux paumes datées
Un ananas qui chatouille une pomme
Six crabes pommés
Quatre oranges navales
Un défilé de myrtilles
Un kiwi sur le dos d'un kiwi
Une banane faisant le grand écart
Une pomme de pin
Trois fruits déguisés en bouffons
Des fruits en conserve
Des cerises, scie en main
Une orange renversant des pommes
Un bananier
Des pommes aux fourneaux
Des cerises à l'eau-de-vie
Sept cerises qui voient rouge
Trois oies pommées
Un enclos à pommes
Un porte-plume sur un porte-feuilles
Un duel de bananes
Deux demi-pêches
La statue de la Liberté
Deux hérissons
Deux grosses pattes de fruits
Un chariot de pommes en p...

## QUEL CIRQUE !

Un clown qui lit le journal
Un parapluie étoilé
Un clown avec une théière fleurie
Deux tuyaux qui fuient
Un clown avec deux anneaux à chaque bras
Deux clowns tenant de gros marteaux
L'arroseur arrosé
Deux clowns tenant des pots de fleurs
Une bataille de polochons
Un clown peignant un toit
Un clown qui fait éclater un challon
Un clown aspergé par six fleurs
Trois voitures
Trois arrosoirs
Un clown à la pêche aux clowns
Un chapeau pour deux
Un lance-tartes
Trois tee-shirts pour le thé
Trois clowns avec des seaux d'eau
Un clown avec un yoyo
Dix-sept nuages
Un clown qui met le pied dans le plat
Un clown à qui l'on chatouille les pieds
Un clown au nez vert

## LA LOI DE LA JUNGLE

Deux soldats déguisés en Pouah
Un soldat avec un chapeau melon
Un soldat avec une bombe
Un cavalier avec un chapeau en tuyau de poêle
Un soldat avec un chapeau de paille
Trois soldats avec des casquettes de montagne
Une femme avec un chapeau de Pâques
Deux casques de football américain
Deux soldats avec des casquettes de base-ball
Un grand bouclier
Une femme avec un chapeau de soleil
Un soldat avec un chapeau à deux plumes
Des serpents avec des hochets
Deux charmeurs de serpents
Sept radeaux en bois
Trois barques en bois
Quatre nids d'oiseaux
Un Pouah déguisé
Une créature des marais sans rayures
Un monstre se brossant les dents
Un monstre qui ne va pas dormir longtemps
Un soldat flottant sur un colis
Un très gros monstre avec une très petite tête
Un serpent charmé
Cinq serpents romantiques
Un serpent qui lit

## LE JARDIN AUX MILLE FLEURS

Une haie qui se taille
Des bacs de roses roses
Une plaquette de beurre volant
De la vaisselle fleurie
Une jardinière pouponnière
Un appétit d'oiseau
Des fleurs en forme de maison
Un épouvantail qui tire la langue
Une citrouille qui donne la trouille
Un cochon caché
Une pièce de théâtre au style fleuri
La grenouille de La Fontaine
Des vers de Terre
Une brouette qui pousse un jardinier
Une partie de criquets
Un filet de papillons et un papillon à filets
La reine des abeilles
Un jardinier paysagiste
Un cadran solaire près d'un soleil
Des jardiniers danseurs
Un fumet de fumier
Un concours de courges
Des pots qui n'ont pas de pot
Un arbre en pomme
Des saules pleureurs
Une coccinelle sans points

## LES CORRIDORS DU TE...

Les douze coups de la pendule
Une pendule au nez vert
Des pendules en brique
Un œuf portant un sablier
Une pendule qui guette
Un réveille-matin assourdissant
Une pendule vagabonde
Une course contre la montre
Des chiffres romains
Une pendule volante
Un grand Ben
Un homme qui a perdu son pantalon
Un vieillard barbu armé d'une faux
Une canne qui marche
Trente-six paires de jumeaux presque identiques
Un homme qui se fait tirer les bretelles
Deux queues-de-pie très liées
Un balancier sur une balançoire
Un bélier
Un haut-de-forme très haut de forme
Un cadran scolaire
Deux parapluies emmêlés
Un coucou coucou
Deux cannes entrelacées